Vous êtes tous mes préférés

Texte de Sam Mc Bratney
Illustrations d'Anita Jeram

Pastel
lutin poche de l'école des loisirs
II, rue de Sèvres, Paris 6ᵉ

Il était une fois
une maman ourse,
un papa ours
et trois oursons.

Un premier ourson.   Un deuxième ourson.

Et un troisième ourson.

Chaque soir, Papa ou Maman
venait les border en disant
toujours la même chose :
"Vous êtes les plus merveilleux
oursons du monde ! "

Mais un soir, comme Maman
venait de les border en leur disant :
"Vous êtes les plus merveilleux oursons
du monde !", les trois oursons
se mirent à se poser des questions.

"Comment le sais-tu ?"
demandèrent-ils à Maman Ourse.
"Comment sais-tu que nous sommes
les plus merveilleux oursons du monde ?"

"Parce que votre papa me l'a dit ",
répondit Maman Ourse.
"Quand votre papa vous a vus
la nuit où vous êtes nés, il a dit,
je m'en souviens parfaitement :
Ce sont les plus beaux bébés ours
que j'aie jamais vus.
Ce sont les plus beaux bébés ours
que personne ait jamais vus ! "

C'était une bonne réponse.
Les trois oursons se blottirent
l'un contre l'autre,
totalement satisfaits.

Mais un jour, le premier ourson
se mit à réfléchir. Il se demanda
si les deux autres n'étaient tout de même
pas mieux que lui. Ils avaient des taches,
eux, et lui n'en avait pas. Peut-être
sa maman préférait-elle les taches ?

Le deuxième ourson, qui était une oursonne,
commença, elle aussi, à s'interroger.
Peut-être son papa aimait-il davantage
ses deux frères ? Après tout, c'étaient
des garçons, eux, et elle était une fille.

Le troisième ourson
finit lui aussi par se tracasser.
Il se dit qu'il était le plus petit
et que les deux autres
étaient plus grands que lui.

Ce soir-là, les trois oursons interrogèrent leur papa ours.
"Lequel de nous trois aimes-tu le plus ?
Qui est ton chouchou ? Nous ne pouvons
pas tous être le préféré !"

"Bien sûr que si", répondit Papa Ours.
"Toi, lorsque ta maman t'a vu", raconta-t-il
en soulevant le premier ourson,
"elle a dit : *C'est le premier bébé ours
le plus parfait qu'on ait jamais vu !* "
"Même sans taches ?"
"Les taches n'ont aucune
importance", répondit
Papa Ours en serrant
le premier ourson
contre lui.

"Toi, quand ta maman t'a vue", raconta-t-il
en soulevant l'oursonne, "elle a dit :
C'est le deuxième bébé ours
le plus parfait qu'on
ait jamais vu ! "
"Même si je suis une fille ? "
"Garçon ou fille, c'est
aussi bien ", répondit
Papa Ours en serrant
son oursonne
dans ses bras.

"Et toi, quand ta maman t'a vu ", raconta-t-il
en soulevant le troisième ourson, "elle a dit :
C'est le troisième bébé ours le plus parfait
qu'on ait jamais vu ! "
"Même si je suis le plus petit ? "
"Grand ou petit, nous vous
aimons tout autant. C'est ainsi.
Trois préférés. Vous êtes tous
mes préférés ! "

Alors, les trois plus merveilleux oursons du monde s'endormirent heureux. Car c'était là une bonne réponse.

Pour tous *mes* préférés :
Sam et Daniel
et Jack et Adam et Ella

S. Mc B.

Pour Joe, Danny et Kitty

A. J.

Texte français de Claude Lager

Première édition dans la collection *lutin poche* : janvier 2006
© 2004, l'école des loisirs, Paris,
pour l'édition en langue française.
© 2004, Sam Mc Bratney pour le texte
© 2004, Anita Jeram pour les illustrations
Titre original : « You're All My Favourites » (*Walker Books*, Londres)
Loi 49 956 du 16 juillet 1949,
sur les publications destinées à la jeunesse : septembre 2004.
Dépôt légal : avril 2007
Imprimé en France par Mame à Tours
ISBN 978-2-211-08196-2